Chère Malala

Traduction : Nicholas Aumais

Qui est Malala ?

Le 9 octobre 2012, en route vers son école au Pakistan, une jeune fille de 15 ans reçoit une balle à la tête tirée par un taliban. Malala Yousafzai parlait publiquement du droit à l'éducation pour toutes les filles – chose à laquelle s'opposent les talibans. Ceux-ci ont pensé que la tuer mettrait fin à son combat, mais ils ignoraient la force de Malala. Elle a été transportée par avion en Angleterre, où les traitements reçus lui ont sauvé la vie et lui ont permis de guérir. Malala, ainsi que deux autres jeunes filles blessées dans l'attentat vont maintenant à l'école en Angleterre où elles vivent. Malala est plus déterminée que jamais à œuvrer pour le droit à l'éducation de tous les enfants. Pour souligner son courage et ses efforts au nom de tous les enfants, elle a reçu près de 30 médailles et distinctions, dont le Prix national de la jeunesse pour la paix du Pakistan, le Prix international des enfants pour la paix de la fondation KidsRights, la récompense citoyenne de la Fondation Clinton, le Prix Ambassadeur de la conscience d'Amnistie Internationale, ainsi que le Prix Sakharov pour la liberté de l'esprit du Parlement européen. En 2013, Malala Yousafzai est devenue la personne la plus jeune de l'histoire à être en lice pour le Prix Nobel de la paix.

Pérou

Chère Malala,

Niger

Nous ne nous sommes jamais rencontrées,
mais j'ai l'impression de te connaître.

Salvador

Je ne t'ai jamais vue, mais j'ai entendu ta voix.

Indonésie

Pour des filles comme moi, tu es une leader qui nous encourage.
Tu es aussi une amie.

Nicaragua

Pour souligner ton courage, une journée spéciale est célébrée en ton nom. Le Jour de Malala est le 12 juillet, jour de ton anniversaire.

Népal

La première fois que j'ai entendu parler de toi, ce fut un jour terrible.
On t'avait tiré dessus simplement parce que tu allais à l'école.
Mais tu as survécu.

Zimbabwe

Tu as toujours envie d'apprendre.
Tu oses défendre tes droits, ainsi que ceux des autres filles.

Partout, des gens se demandent pourquoi il est si difficile pour les filles d'avoir accès à l'éducation.

Birmanie

Mais nous connaissons la réponse.

Libéria

Dans bien des pays, les balles de fusil
ne sont pas le seul moyen de faire taire les filles.

Mariage précoce…

... pauvreté...

Cameroun

... discrimination...

Indonésie

… violence… Toutes ces situations sont destructrices.

Kenya

Mais parce que tu es une fille,
tu as dû montrer au monde entier que rien ne t'arrêtera.

Inde

Toi, Malala, tu nous as rappelé que c'est notre droit
– mon droit – le droit de tous les enfants d'aller à l'école.

Inde

Plutôt que de vivre dans la peur…

Kenya

… nous devons unir nos voix pour le changement.

Chine

Parce que je suis une fille,
je t'écris pour te dire que chaque jour est le Jour de Malala.

Paraguay

Les filles de partout dans le monde sont avec toi.

Népal

Ouganda

Toutes ensemble, nous sommes solidaires.

Allemagne

Niger

Tu nous représentes toutes.

États-Unis

Le monde entier verra ce que les filles peuvent accomplir – si seulement on nous en laisse la chance.

Le 12 juillet 2013, jour de son 16e anniversaire, Malala Yousafzai s'est adressée à près de 1 000 délégués à l'Assemblée des jeunes des Nations Unies. Le Secrétaire général des Nations Unies venait de proclamer que le 12 juillet serait désormais le Jour de Malala. Voici quelques extraits de son discours prononcé ce jour-là.

« Me voici devant vous… une fille parmi tant d'autres. Je m'exprime, non pas en mon nom, mais au nom de toutes les filles et de tous les garçons. Je prends la parole – pas pour crier, mais pour que ceux et celles qui sont sans voix soient entendus. Ceux et celles qui se sont battus pour leurs droits : le droit de vivre en paix, le droit d'être traités avec dignité, le droit à l'égalité des chances, le droit à l'éducation.

« Chers amis, le 9 octobre 2012, les talibans m'ont blessée par balle à la tempe gauche. Ils ont aussi tiré sur mes amies.

Ils ont cru que les balles nous feraient taire. Mais ils ont échoué. La faiblesse, la peur et le désespoir sont morts. La force, la volonté et le courage sont nés. Je suis la même Malala. Mes ambitions sont les mêmes. Mes espoirs sont les mêmes. Mes rêves sont les mêmes.

« Nous voulons des écoles et l'accès à l'éducation pour l'avenir de tous les enfants. Nous poursuivrons notre voyage vers une destination de paix et d'éducation pour tous et toutes. Personne ne peut nous arrêter. Nous défendrons nos droits et nous changerons les choses en nous faisant entendre. Nous devons croire au pouvoir et à la force de nos paroles. Nos paroles peuvent changer le monde. Parce que nous sommes ensemble, unis pour la cause de l'éducation. Et si nous voulons atteindre notre but, armons-nous de connaissances et protégeons-nous les uns les autres.

« Chers frères et sœurs, nous ne devons pas oublier que des millions de gens souffrent de pauvreté, d'injustice et d'ignorance. Nous ne devons pas oublier que des millions d'enfants ne vont pas à l'école. Nous ne devons pas oublier que nos sœurs et nos frères espèrent un avenir meilleur et une vie de paix.

« Menons une lutte mondiale contre l'analphabétisme, la pauvreté et le terrorisme. Et reprenons nos livres et nos crayons. Ce sont nos armes les plus puissantes.

« Un enfant, un professeur, un crayon et un livre peuvent changer le monde.

« L'éducation est la seule solution. L'éducation avant tout ! »

Crédits photographiques

Couverture : Gretel Truong/A World at School 2013
Page 2 : Gretel Truong/A World at School 2013
Page 4 : Daniel Silva/Plan
Page 5 : Shona Hamilton/Plan
Page 6 : Shona Hamilton/Plan
Page 7 : Floor Catshoek/Plan
Page 8 : Plan/Plan
Page 9 : Shreeram KC/Plan
Page 10 : Annie Mpalume/Plan
Page 11 : Ruth Catsburg/Plan
Page 12 : Warisara Sornpet/Plan
Page 13 : Alf Berg/Plan
Page 14 : Campagne pour abolir le mariage des enfants Pays-Bas/Plan
Page 15 : Warisara Sornpet/Plan
Page 16 : James Stone/Plan
Page 17 : Dyayi Nuswantari P./Plan
Page 18 : Niels Busch/Plan
Page 19 : Niels Busch/Plan
Page 20 : Catherine Farquharson/Plan
Page 21 : Rebecca Nduku/Plan
Page 22 : Connelly LaMar/Plan
Page 23 : Lucas Sosa/Plan
Page 24 gauche : Shreeram KC/Plan
Page 24 droite : Will Boase/Plan
Page 25 gauche : Friedrun Reinhold/Plan
Page 25 droite : Shona Hamilton/Plan
Page 26 : Alexandra Kensland Letelier/Plan
Page 31 : Gary Walker/Plan

Remerciements

Plusieurs personnes ont contribué à la création de ce magnifique hommage à une jeune femme remarquable. L'équipe des communications internationales de Plan a été inspirée par la déclaration des Nations Unies faisant du 12 juillet 2013 le Jour de Malala, au moment où 500 jeunes « envahissaient » pour la première fois l'ONU, avec l'appui spontané du secrétaire général. L'équipe a produit un court métrage présentant des filles de partout dans le monde qui écrivaient à Malala pour lui dire qu'elle était devenue pour elles un symbole des plus importants. Cette vidéo chaleureuse et puissante, Jen Albaugh m'a aidée à la transformer en un livre, choisissant les photos incroyables recueillies par Plan aux quatre coins du monde pour donner vie aux paroles des filles. Le charme, le courage et la confiance de Malala sont pour elles, et pour nous tous, une inspiration. Merci de tout cœur à toutes les équipes de Plan qui m'ont aidée à donner vie à cette histoire.

—*Rosemary McCarney*

Dépôt légal – Bibliothèque nationale du Québec, 2014
Bibliothèque nationale du Canada 2014

ISBN 978-2-89579-596-4

Titre original : *Every Day is Malala Day* de Rosemary McCarney avec Plan International (ISBN 978-1-927583-31-9) publié par Second Story Press, Toronto, Ontario, Canada.

Mise en pages et couverture : Melissa Kaita

Direction éditoriale : Gilda Routy
Traduction : Nicholas Aumais
Révision : Josée Latulippe

Nous reconnaissons l'aide financière du gouvernement du Canada par l'entremise du Fonds du livre du Canada (FLC) pour des activités de développement de notre entreprise.

Conseil des arts du Canada Canada Council for the Arts

Bayard Canada Livres inc. remercie le Conseil des Arts du Canada du soutien accordé à son programme d'édition dans le cadre du Programme des subventions globales aux éditeurs.

Cet ouvrage a été publié avec le soutien de la SODEC. Gouvernement du Québec – Programme de crédit d'impôt pour l'édition de livres – Gestion SODEC.

Bayard Canada Livres
4475, rue Frontenac, Montréal (Québec) H2H 2S2
Téléphone : 514 844-2111 ou 1 866-844-2111
edition@bayardcanada.com
bayardlivres.ca

Imprimé en Chine

Ce livre est dédié aux 65 millions de filles qui, aujourd'hui dans le monde, ne fréquentent ni l'école primaire ni l'école secondaire.